LÉO ET LA PÊCHE

Claire

Lucy Brum, d'après la série créée par Helen Oxenbury

BAYARD JEUNESSE

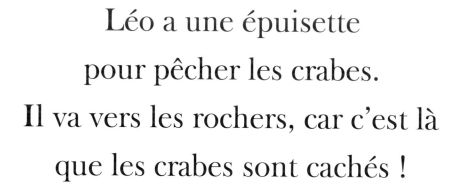

Léo a une épuisette
pour pêcher les crabes.
Il va vers les rochers, car c'est là
que les crabes sont cachés !

Maman dit : – Attention, Léo,
ça fait mal aux pieds, les rochers !
Mets tes sandales,
tu seras plus à l'aise pour pêcher !

Maintenant
Léo a tout ce qu'il faut
pour pêcher,
les crabes ont intérêt
à bien se cacher !

Mais les crabes ne sont pas là.

Léo a beau regarder,

aucun crabe n'apparaît.

Peut-être qu'ils font dodo,

tout au fond de l'eau ?

Et si Léo les réveillait ?
Doucement,
Léo plonge son épuisette
tout au fond de l'eau.
– Toc ! Toc ! Fini, le dodo ! dit Léo.

Léo ramène son épuisette.

Mais qu'est-ce que c'est que ça,

qui glisse sur les doigts…?

Ce ne sont pas des crabes.

Ce sont des algues ! Pouah !

Enfin... ! Il y a un crabe
qui montre le bout de son nez.
Oh ! Léo est si émerveillé
qu'il oublie de le pêcher !

Les illustrations de cet album ont été réalisées
par Lucy Brum, d'après la série créée par Helen Oxenbury.
Les textes ont été écrits par Claire Clément.

© 2001, Helen Oxenbury.
Première publication : © PÔPI , Bayard Presse, 1998
Pour l'édition de poche : © Bayard Éditions Jeunesse, 2001
ISBN : 2 7470 0136-9
Tous les droits réservés. Reproduction, même partielle, interdite.
Dépôt légal avril 2001 ; n° éditeur 6718
Loi 49-956 du 16 juillet 1949 sur les publications
destinées à la jeunesse

Achevé d'imprimer en Mars 2001 sur les presses d'imprimerie CARACTERE